LE GRAND
DICTIONNAIRE
DES PETITS

LE GRAND
DICTIONNAIRE
DES PETITS

**Un dictionnaire
pour jeunes lecteurs**

Version française de
Pierre Coran

Illustrations de
D. Lodewijckx et **Y. Schaltin**

Chantecler

A

ABEILLE. C'est un insecte qui fabrique le miel avec le suc des fleurs. Les abeilles vivent dans une ruche. Chaque colonie a une reine.

ACCIDENT. C'est quelque chose qui arrive tout à coup. Un accident est souvent malheureux. Si tu tombes de ton vélo, c'est un accident.

ACCORDEON. C'est un instrument de musique avec des touches et des boutons. Si tu veux en jouer, tu l'ouvres et tu le fermes. C'est un soufflet qui chante.

ADULTE. C'est une personne, un animal ou une plante qui a fini de grandir. Papa et maman sont des adultes.

AGNEAU. C'est le petit d'un mouton et d'une brebis. Un petit agneau est un agnelet. On dit souvent doux comme un agneau.

AGREABLE. C'est ce qui te plaît. Aller à la mer, jouer dans le sable, c'est agréable.

AIGUILLE. C'est une fine tige de métal. Elle sert à enfiler un bouton. L'infirmière ou le médecin te fait une piqûre avec l'aiguille d'une seringue.

AILE. Avec leurs ailes, les oiseaux et certains insectes volent dans l'air. Comme les vrais avions, ton avion de papier a des ailes.

AIR. C'est un mélange de plusieurs gaz. La Terre est entourée d'air. Pour rester en vie, tu as besoin de respirer de l'air.

ALLUMETTE. C'est un petit morceau de bois ou de carton. Quand tu frottes la tête d'une allumette, elle s'enflamme. Jouer avec des allumettes, c'est très dangereux.

AMI. C'est une personne que tu aimes bien et qui t'aime bien. Un ami, c'est plus qu'un copain.

ANE. C'est un animal qui a une grosse tête et de longues oreilles. Il n'est jamais pressé. On dit têtu comme un âne.

ANIMAL. C'est ce que tu appelles une bête. Un animal ne parle pas. Il crie. Ton chat et ton chien ont des pattes. Le serpent et ton poisson rouge n'en ont pas. Ce sont tous des animaux.

ANNEE. C'est le temps que la Terre met pour tourner une fois autour du Soleil. Dans une année, tu comptes 12 mois ou 365 jours.

ANNIVERSAIRE. A chaque anniversaire, tu as un an de plus. Connais-tu ta date de naissance?

ANTENNE. C'est le fil ou la tige qui te permet d'entendre la radio et de voir les images de la télévision. Un papillon a des antennes.

APPAREIL PHOTO. C'est un objet qui sert à garder tes souvenirs. Certains appareils dévelop-

Des abeilles *près d'une ruche.*

L'accordéon est un instrument de musique.

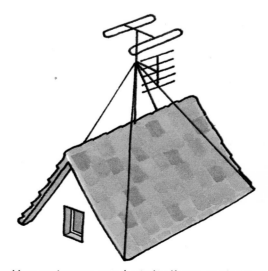

Une antenne *sur le toit d'une maison.*

Régler un appareil photo.

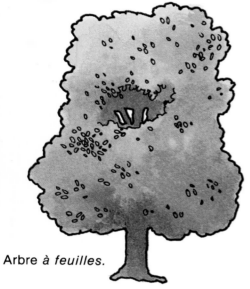

Arbre *à feuilles.*

Auto *et* autobus *sont des moyens de transport.*

pent tes photos en quelques secondes. C'est magique!

AQUARIUM. C'est un bac en verre. Tu y mets des animaux et des plantes aquatiques. Plus un aquarium est grand, plus les poissons sont contents.

ARAIGNEE. Une araignée n'est pas un insecte. Elle a 8 pattes. As-tu déjà bien regardé sa toile? C'est le piège à mouches d'une artiste.

ARBRE. C'est une plante à racines. Sa tige s'appelle le tronc. As-tu déjà grimpé dans ses branches? Un chêne porte des feuilles. Un sapin a des aiguilles.

ARC-EN-CIEL. Cet arc dans le ciel a 7 couleurs: rouge, orange, jaune, vert, bleu, violet, indigo. L'indigo est une sorte de bleu.

ARGENT. C'est ce dont tu as besoin pour payer ce que tu achètes. L'argent est un métal. As-tu déjà bu avec une cuiller en argent?

ARMURE. C'est le costume de fer des chevaliers.

ARROSER. C'est donner à boire aux plantes, aux fleurs. En été, tu arroses la pelouse et le jardin. On dit aussi qu'un fleuve arrose un pays, une région, une ville. La Seine arrose Paris.

ASPIRATEUR. C'est un appareil électrique très gourmand. Il aspire, si tu le veux, les poussières des tapis, des tentures... et des cheminées.

ATTENTION. A l'école, tu dois faire attention. Si tu ne fais pas attention, tu es distrait.

AUJOURD'HUI. C'est après "hier" et avant "demain". C'est aujourd'hui que tu viens de lire ce mot de ton dictionnaire.

AUTO. C'est un véhicule à moteur. Une auto roule à l'essence, au mazout ou au gaz. Les autos électriques sont encore très rares. As-tu une auto à pédales?

AUTOBUS. C'est une grande auto. Dans un autobus, de nombreuses personnes peuvent s'asseoir.

AUTOMNE. C'est l'une des quatre saisons. L'automne vient après l'été et avant l'hiver. Il arrive quand les feuilles des arbres meurent et tombent.

AUTOROUTE. C'est une route large et rapide. Elle a deux chaussées séparées. Sur une autoroute, les autos roulent vite. Dans certains pays, il faut payer pour pouvoir emprunter les autoroutes.

AVEUGLE. C'est quand on ne voit plus. Un aveugle est aussi appelé un non-voyant.

AVION. C'est une machine qui vole. Elle transporte des voyageurs et des marchandises.

B

BAGAGES. Ce sont des objets que tu emportes en voyage. Ne les oublie surtout pas quand tu pars en vacances.

BAGUE. C'est un anneau de métal ou de plastique. Tu trouves des bagues chez un bijoutier ou dans une surprise.

BAISER. Un baiser se donne avec les lèvres. C'est faire "smack!" à ceux que tu aimes.

BALAI. C'est un manche terminé par une brosse qui fait peur aux poussières. C'est aussi, dans les contes, la baguette magique d'une sorcière.

BALANCE. C'est un appareil qui sert à peser des personnes ou des choses. Combien pèses-tu de kilos? Si tu es né entre le 21 septembre et le 21 octobre, ton signe est la Balance.

BALANÇOIRE. C'est une longue planche à bascule. C'est aussi une plus petite planche soutenue par deux cordes.

BALLON. C'est une boule de toile, de caoutchouc, de cuir, de plastique, de nylon remplie de gaz. Dans ton ballon de football, il y a de l'air. Un gros ballon qui soutient un grand panier s'appelle une montgolfière.

BANANE. C'est un fruit des pays chauds. Une grappe de bananes s'appelle un régime. Glisser sur une peau de banane, ce n'est pas souvent amusant!

BARBE. Ce sont des poils qui poussent surtout sur le menton. Ton papa porte-t-il la barbe? Les femmes barbues sont rares. On en voit dans des cirques ou parfois à la foire. A la foire, tu préfères sans doute manger de la barbe à papa.

BARQUE. C'est un petit bateau à voiles, à rames ou à moteur.

BAS. C'est le contraire de haut. A l'horizon, le ciel paraît bas. L'hiver, tu portes des bas de laine. Ta maman met-elle des bas nylon?

BATEAU. C'est un moyen de transport en bois ou en métal. Un bateau flotte sur l'eau. Il transporte des voyageurs ou des marchandises. Un très grand bateau s'appelle un navire.

BERCEAU. C'est le lit des petits enfants. Quand tu étais bébé, tu dormais dans un berceau.

BERGER. C'est une personne qui garde un troupeau d'animaux. Ce sont souvent des moutons, des chèvres ou des vaches.

BEURRE. Si tu bats la crème du lait, tu obtiens du beurre. Le beurre est fabriqué dans les fermes ou dans les laiteries.

BILLE. As-tu des billes de métal ou de verre?

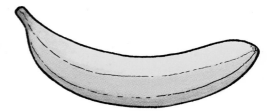

Une banane *mûre est jaune.*

Un grand bateau *est appelé navire.*

Le transport du bois *dans certains pays se fait de cette façon.*

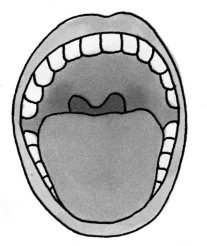

La langue et les dents se trouvent dans la bouche.

Tu peux trouver des bougies *de toutes les formes et de toutes les couleurs.*

Les bouteilles *sont des récipients.*

Jouer aux billes est très amusant.

BOIS. C'est un ensemble d'arbres. Un grand bois s'appelle une forêt.

BOÎTE. C'est un récipient en carton, en métal, en bois, en plastique. Tu peux y mettre plein de choses. Avec un ouvre-boîte, tu peux y découvrir des sardines, des tomates, des haricots...

BONJOUR. C'est un salut! Je te souhaite une bonne journée. Dis bonjour aux gens de la rue!

BONNET. C'est une coiffure sans bord. Grand-père porte-t-il un bonnet de nuit? Ne plonge pas dans la piscine avec un bonnet de laine. Mets plutôt un bonnet de bain!

BONSOIR. C'est le salut du soir. On dit "bonsoir!" puis "bonne nuit!".

BOTTE. C'est une chaussure qui recouvre la cheville ou la jambe. Les hommes et les femmes portent des bottes de caoutchouc ou de cuir. Dans la grange d'une ferme, tu trouves des bottes de foin et des bottes de paille.

BOUCHE. C'est l'entrée des voies digestives. La bouche est limitée par les lèvres. Elle te sert à manger, parler, souffler, siffler, tousser et sourire.

BOUCHER. Un boucher est un commerçant. Il te vend de la viande. Boucher, c'est aussi fermer ce qui est ouvert. Bouche-toi les oreilles!

BOUGIE. C'est un bâton de graisse avec une mèche au milieu. On trouve aussi des bougies en forme de boules. Une bougie est très utile quand il y a une panne d'électricité.

BOULANGER. C'est un commerçant. Il cuit le pain et le vend.

BOUQUET. C'est un ensemble de fleurs. On dit aussi un bouquet d'arbres.

BOUTEILLE. C'est un récipient en verre ou en plastique. Son ouverture est appelée goulot.

BRANCHE. C'est une partie d'un arbre, d'un arbuste ou d'un buisson. Les branches sont des tiges attachées au tronc. Un poète dira: ce sont les bras des arbres.

BRAS. Tu as deux bras. Une charrette peut avoir des bras. Un bras de mer est une partie de mer ou de fleuve qui s'enfonce dans les terres.

BRICOLER. C'est faire toutes sortes de choses par plaisir.

BROSSE A DENTS. C'est un manche qui a une tête poilue. Les meilleures brosses à dents ont une tête en poils de porc... ou de sanglier. Combien de fois par jour te brosses-tu les dents?

BROUETTE. C'est un bac, une roue et deux bras.

BROUILLARD. C'est un nuage qui flotte sur la terre.

C

CADEAU. C'est quelque chose que tu reçois ou que tu donnes... avec plaisir.

CAMION. C'est un gros véhicule qui sert à transporter des choses lourdes.

CAMPING. Faire du camping, c'est vivre dans une tente ou une caravane.

CANARD. C'est un oiseau aux pattes palmées. Tu connais le canard de basse-cour. Il existe aussi des canards sauvages. On les voit sur les lacs et sur les étangs. Dès qu'un caneton sort de l'oeuf, il sait déjà nager.

CARNAVAL. C'est une fête. Au carnaval, tu te déguises et tu mets un masque. Certains carnavals sont célèbres.

CAROTTE. C'est une plante du potager. La carotte est une racine avec un chapeau de feuilles.

CARTABLE. C'est le sac où tu mets tes cahiers, ton plumier, tes livres d'école.

CERF. C'est un mammifère. Il a deux sabots à chaque patte. La femelle du cerf est la biche. As-tu un cerf-volant?

CHAMEAU. C'est aussi un animal à sabots. Comme la vache, le chameau est un ruminant. Il peut rester longtemps sans boire de l'eau. Le chameau a deux bosses. S'il n'a qu'une bosse, on l'appelle alors un dromadaire.

CHAMPIGNON. Il a un chapeau et une queue. Tu as déjà mangé des champignons. Certains sont très dangereux. Tu ne peux pas les manger. On les appelle des champignons vénéneux.

CHANSON. C'est une musique habillée de mots. Ou ce sont des mots habillés d'une musique.

CHAPEAU. C'est une coiffure d'homme ou de femme.

CHAT. Le chat a quatre pattes. C'est un quadrupède. Il attrape les souris et les oiseaux. Il se nourrit de chair. C'est un carnassier.

CHEMISE. C'est un vêtement de lin, de coton ou d'une autre étoffe. Une chemise se porte sur le buste. As-tu déjà mangé des pommes de terre en chemise?

CHEVAL. C'est un ruminant. Il tire une charrue, une charrette. Avant, les chevaux tiraient aussi les bateaux. Es-tu déjà monté sur un cheval de manège? Le jeune du cheval est le poulain.

CHEVEUX. Ce sont les poils qui poussent sur la tête des gens. Un chauve a perdu ses cheveux.

CHEVRE. C'est un mammifère à cornes. Avec son lait, on fabrique le fromage de chèvre. Le

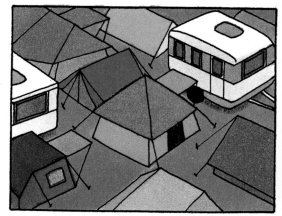

Terrain de camping *pendant les vacances.*

Fais bien attention si tu cueilles des champignons.

Le chat *chasse les oiseaux et les souris.*

13

La chèvre *est un mammifère à cornes.*

Il existe beaucoup de races de chiens.

Les coquillages *ont parfois des formes et des couleurs bizarres.*

mâle de la chèvre s'appelle le bouc. Connais-tu l'histoire de la chèvre de monsieur Seguin?

CHIEN. C'est un animal de maison. Comme le chat, c'est un carnassier. Le loup et le renard le sont aussi. Les vacanciers qui abandonnent leur chien sont des méchants. N'es-tu pas de mon avis?

CHOCOLAT. C'est une friandise composée de cacao et de sucre. N'en mange pas trop! Les dents et le foie n'aiment pas le chocolat.

CHOU-FLEUR. C'est un légume à boutons blancs.

CIRQUE. C'est un chapiteau avec des gradins et une piste de sable. Le cirque est une tente magique. Les animaux font des tours d'adresse. Les gens de cirque peuvent tout faire. Ils sont dompteurs, clowns, cavaliers, acrobates...

CISEAUX. Une paire de ciseaux, c'est un outil de travail pour découper. Un ciseau est un outil de menuisier. Ne te trompe pas!

CLOWN. C'est un mot de la langue anglaise. As-tu déjà applaudi des clowns dans un vrai cirque?

COCHON. C'est un mammifère très utile. Tu manges sa viande. Avec son sang, le boucher fait du boudin. Ses poils deviennent des brosses à dents. Avec ses sabots, on fabrique de la colle. La femelle du cochon est la truie.

COQUILLAGE. C'est l'enveloppe des mollusques. Tu en trouves à la mer, sur les plages. Sais-tu que le sable est formé de millions de coquillages devenus poussières?

CORPS. C'est l'ensemble de tous nos membres. L'animal a aussi un corps. Faire du sport, c'est entretenir son corps. Quel sport fais-tu?

COULEUR. C'est le reflet de la lumière sur nos yeux. La couleur est dans la nature. Elle est aussi sur ton pinceau si tu joues au peintre.

COUTEAU. C'est un manche et une lame. Un couteau se tient par le manche. Qui s'y frotte s'y coupe!

COW-BOY. C'est un mot de la langue anglaise. Un cow-boy est un gardien d'animaux. Il guide des troupeaux de chevaux ou de vaches.

CRAYON. C'est une mine dans un tube de bois. Si la mine se casse ou si elle est usée, tu as besoin d'un taille-crayon.

CUILLERE(ou **CUILLER**). Tu t'en sers pour boire la soupe ou la bouillie.

CUISINE. C'est une pièce de la maison où il sent souvent bon. La cuisine, c'est aussi l'art de préparer de bons plats.

CYGNE. C'est un bel oiseau blanc qui vit sur l'eau des lacs et des étangs.

D

DACTYLO. C'est une personne dont la profession est d'écrire avec une machine.

DANGEREUX. Jouer avec le feu est dangereux. Un cascadeur a un métier dangereux.

DANSER. C'est se déplacer ou bouger en musique. Quand tu es heureux, danses-tu de joie? Es-tu allé au bal? As-tu déjà vu un ballet de danseurs et de danseuses?

DAUPHIN. C'est un animal de mer. Le dauphin n'est pas un poisson: c'est un cétacé. C'est aussi un mammifère car il met au monde des jeunes vivants. On dit que le dauphin est un animal intelligent.

DE. C'est un petit cube à 6 faces. Quand il n'est pas un cube et qu'il est plein de petits points, c'est un dé à coudre. Aimes-tu les dés de fromage?

DECOLLER. C'est enlever la colle. Un collectionneur de timbres doit savoir décoller les timbres sans les abîmer. Quand un avion quitte le sol, on dit aussi qu'il décolle.

DECORER. C'est embellir avec des objets que tu aimes. As-tu décoré ta chambre?

DECOUPER. Tu possèdes des ciseaux à bouts ronds. Donc tu peux découper un dessin, un journal, une ficelle... Découpes-tu tout seul la viande du repas?

DEGUISER. C'est s'habiller pour ressembler à quelqu'un. Ou pour ne pas être reconnu! Te déguises-tu au carnaval?

DEJEUNER. Tu déjeunes deux fois dans la journée. Le matin, tu prends un "petit déjeuner". A midi, c'est le déjeuner. Quand tu manges des bonbons entre ces deux repas, ce n'est pas déjeuner: c'est être gourmand!

DENT. L'homme a 32 dents. Les dents servent à mordre et à mastiquer. Combien en as-tu?

DENTIFRICE. C'est une pâte pour brosse à dents. Les meilleurs dentifrices se vendent chez le pharmacien.

DENTISTE. C'est le médecin qui te soigne les dents.

DENTURE. C'est l'ensemble des dents d'une personne ou d'un animal.

DEPANNER. C'est aider quelqu'un qui a des ennuis. Quand un automobiliste est en panne, il appelle un garagiste ou un poste de secours. Ton téléviseur est-il déjà tombé en panne? Qui l'a dépanné?

DESERT. C'est une région sans eau. Il y fait pres-

Dactylo *écrivant avec une machine.*

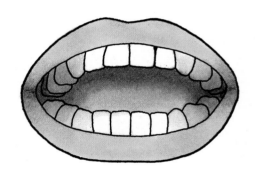

Les dents *servent à mordre et à mastiquer.*

Le désert *est une région chaude et sèche.*

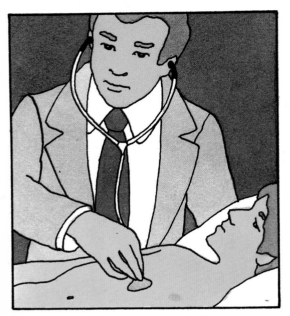

Le docteur *examine un malade.*

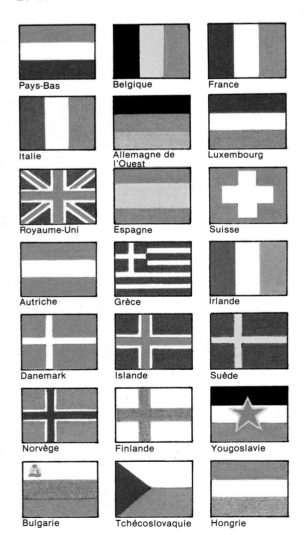

Pays-Bas · Belgique · France

Italie · Allemagne de l'Ouest · Luxembourg

Royaume-Uni · Espagne · Suisse

Autriche · Grèce · Irlande

Danemark · Islande · Suède

Norvège · Finlande · Yougoslavie

Bulgarie · Tchécoslovaquie · Hongrie

Voici les drapeaux *de 21 pays différents.*

que toujours très chaud le jour et froid la nuit. Une oasis est un endroit du désert où l'on trouve quelques arbres et de l'eau.

(SE) DESHABILLER. C'est enlever ses vêtements. Avant de prendre un bain, tu te déshabilles.

DESOBEISSANT. Un enfant désobéissant ne fait pas ce qu'on lui demande. Es-tu désobéissant?

DESORDRE. As-tu de l'ordre ou du désordre dans ta chambre? Si tes livres, tes cahiers, tes jouets traînent partout, ta chambre est vraiment en désordre.

DESSIN. L'enfant sait dessiner avant de savoir écrire. Dessines-tu encore? Faire des dessins avec un crayon, un porte-plume, un marqueur, c'est si gai. Sais-tu qu'on dessine sur de la soie... ou sur les trottoirs?

DÎNER. C'est le repas du soir.

DISQUE. Un disque est toujours rond. Les chansons sont imprimées sur des disques de cire. La surface de la Lune est un disque. Un lanceur de disque est un sportif.

DOCTEUR. C'est un homme ou une femme qui soigne les malades. Un docteur a aidé ta maman à te mettre au monde.

DOIGT. Combien as-tu de doigts? 10! Non! 20! Tu as oublié tes doigts de pied.

DOMINO. C'est un jeu formé de 28 plaques noires. Chaque plaque est divisée en deux parties couvertes de points de 1 à 6. Si tu veux jouer aux dominos, lis d'abord les règles du jeu.

DOMPTEUR. C'est une personne qui dresse les animaux. Au cirque, le dompteur travaille souvent dans la cage aux lions.

DORMIR. On ne peut pas vivre sans dormir. Le corps a besoin de repos. Alors, ne boude plus quand il est l'heure de te mettre au lit.

DOUANIER. C'est une personne qui travaille aux frontières d'un pays. Quand il fouille le coffre de ta voiture, il fait son métier. Le douanier fait la chasse aux tricheurs.

DOUCEMENT. Parler doucement, c'est parler sans crier, à voix basse, lentement.

DOUCHE. C'est un jet d'eau qui te lave. Aimes-tu prendre une douche? La préfères-tu chaude, tiède ou froide?

DRAPEAU. C'est aussi un rectangle de tissu ou de papier. Chaque pays a son drapeau. Connais-tu les couleurs du drapeau de ton pays? Sur la route, sur un bateau, un quai de gare, un drapeau est parfois un signal.

DUR. C'est le contraire de mou. C'est aussi ce qui est difficile.

E

EAU. Le monde est composé de terre et d'eau. L'eau est incolore (sans couleur), inodore (sans odeur) et insipide (sans goût).

ECAILLE. Les écailles recouvrent le corps de certains animaux. Avant de cuire un poisson, tu dois lui gratter les écailles.

ECARTER. C'est séparer quelque chose. Le matin, tu écartes les rideaux de ta chambre. Ecarte les bras, les jambes en sautant... et tu fais de la gymnastique.

ECHELLE. Une échelle a deux montants et des échelons. Les pompiers emploient des échelles très longues.

ECLAIR. C'est une ligne de lumière qui apparaît lors d'un orage. On dit alors qu'il y a de l'électricité dans l'air. Le bruit de l'éclair s'appelle le tonnerre. Mais quand il est au chocolat, l'éclair ne fait peur à personne.

ECOLE. C'est un bâtiment que tu connais bien. Il existe des écoles pour enfants et d'autres pour les grandes personnes.

ECRIRE. C'est tracer des lettres pour former des mots puis des phrases. Ecris ton nom et ton prénom sur la première page du dictionnaire.

ECUREUIL. C'est un rongeur qui vit dans les arbres. Il adore les noisettes.

EGLISE. C'est un bâtiment où des gens vont prier Dieu.

ELEPHANT. C'est l'animal sauvage le plus grand du monde. L'éléphant d'Afrique est plus grand que l'éléphant d'Asie. As-tu à la maison des objets en ivoire? Les défenses d'un éléphant sont en ivoire.

EMBALLER. C'est placer des choses dans du papier, dans un coffre, une malle, une valise, un sac.

EMBRASSER. C'est donner un baiser. Embrasses-tu tes parents avant d'aller dormir?

ENCRE. C'est un liquide avec lequel tu écris. Ce dictionnaire a été imprimé. L'imprimeur a utilisé des encres de plusieurs couleurs.

ENFANT. Tu es un enfant. Plus tard, tu seras un adulte. Patience!

(S')ENNUYER. C'est ne pas être intéressé par quelque chose. J'espère que tu ne diras pas: "Ce dictionnaire m'ennuie!"

ENTREE. C'est un endroit par lequel tu entres ou tu rentres. Montre la porte d'entrée de ta maison. Au théâtre, l'entrée est gratuite ou payante. Elle t'est parfois interdite!

L'écureuil *est un rongeur.*

Les gens se rendent à l'église pour prier.

Un éléphant *peut mesurer jusqu'à 3.20 m de haut.*

Le tampon a été trempé dans l'encre.

L'escargot est un mollusque. Il a une coquille sur le dos.

Les Esquimaux vivent sur de grandes étendues de glace.

ENVELOPPE. C'est un double rectangle de papier ou de carton. Quand tu envoies une lettre ou un livre, tu écris un nom et une adresse sur l'enveloppe. N'oublie pas de coller un ou plusieurs timbres-poste selon le poids de ton envoi.

EPONGE. C'est un objet qui aspire l'eau. Pour te laver, tu emploies une éponge. Est-elle artificielle ou naturelle? Si c'est une vraie éponge de mer, sais-tu que tu te laves avec le squelette d'un animal?

EQUIPE. Fais-tu partie d'une équipe? Une équipe de football compte 11 joueurs.

ESCALIER. Ce sont des marches qui servent à monter ou à descendre d'un étage à un autre.

ESCARGOT. C'est un herbivore. Comme la moule et l'huître, l'escargot est un mollusque.

ESQUIMAU. C'est quelqu'un qui vit dans un igloo avec sa famille. Il pêche en forant des trous dans le sol glacé. Cherche sur une carte où se trouve le Groenland, un pays où les Esquimaux sont encore nombreux.

ESSENCE. C'est le carburant des motos et des autos. L'essence est un produit du pétrole. C'est aussi un liquide obtenu à partir des plantes. Respire de l'essence de térébenthine puis de l'essence de rose. Laquelle préfères-tu?

ESSUYER. C'est enlever ce qui est mouillé. Aides-tu souvent tes parents à essuyer la vaisselle?

ESTOMAC. C'est un organe en forme de sac. C'est dans l'estomac que la digestion commence.

ETALAGE. C'est un lieu où le commerçant expose ses marchandises.

ETANG. C'est une étendue d'eau moins profonde qu'un lac. On y trouve des poissons, des roseaux, des nénuphars, des grenouilles et des pêcheurs!

ETE. C'est la saison entre le printemps et l'automne. L'été est la saison la plus chaude.

ETERNUER. C'est souffler violemment de l'air par le nez. Atchoum!

ETOILE. C'est un astre qui brille, la nuit, dans le ciel. Les étoiles sont entourées de planètes. Tu vois les étoiles mais tu ne vois pas les planètes. Elles sont trop éloignées. Le Soleil est aussi une étoile. Un restaurant, un militaire, un sapin de Noël peut avoir des étoiles.

(S')EVEILLER. C'est sortir du sommeil... à n'importe quelle heure!

EVIER. C'est une cuve munie d'un robinet à eau. Dans un évier, tu laves la vaisselle ou tu fais ta toilette.

F

(SE)FÂCHER. C'est se mettre en colère.

FACTEUR. C'est un homme ou une femme qui travaille à la poste. Le facteur trie les lettres et les colis. Puis il glisse le courrier dans ta boîte aux lettres.

FAIM. C'est quand tu as besoin de manger. Ton chien, ton chat connaissent la faim. C'est un besoin naturel.

FAKIR. C'est d'abord un Mahométan. Mahomet est une sorte de dieu en Orient. C'est aussi une personne qui résiste à la douleur. Un fakir se transperce la peau avec des aiguilles. Il se couche sur un lit à clous. Un fakir, c'est enfin un prestidigitateur et un voyant.

FAMILLE. C'est papa, maman, les enfants, les grands-parents, les oncles, tantes, cousins, cousines... On groupe les animaux en familles: les rongeurs, les ruminants... Les mots aussi sont classés en familles. Voyage, voyageur, voyager n'ont-ils pas un air de famille?

FAUTE. A l'école, tu corriges tes fautes de calcul et d'orthographe. Faire des fautes ou commettre des erreurs, c'est la même chose.

FEE. C'est une femme qui n'existe que dans les contes. Connais-tu l'histoire de Pinocchio et de la fée bleue?

FENETRE. C'est une vitre de verre placée dans un encadrement de bois ou de métal. L'air et la lumière entrent par la fenêtre.

FER. C'est un métal qui rouille vite. Il existe des mines de fer.

FERME. Une vraie ferme est toujours en dehors de la ville.

FETE. C'est un événement qu'on célèbre avec joie. Il y a la fête des pères, la fête des mères, la fête de Noël. Quand fêteras-tu ton prochain anniversaire?

FEU. Il ne faut jamais jouer avec lui. As-tu déjà vu un incendie?

FEUILLE. C'est une partie d'un arbre ou d'un livre, d'une revue, d'un journal.

FEUX DE SIGNALISATION. Au vert, tu passes. Un feu orange annonce le danger. Au rouge, on ne passe jamais.

FIL. Entre le fil du pêcheur et le fil de l'équilibriste, il y a une grande différence. Entre le fil à coudre et le fil de téléphone aussi.

FILLE. C'est une enfant qui deviendra une femme.

FILM. C'est le rouleau que tu places dans ton

Un fakir *résiste à la douleur.*

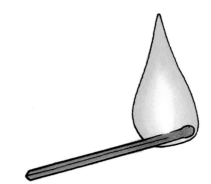

Ne joue jamais avec le feu.

Feux de signalisation *à un carrefour.*

La fleur *est une partie d'une plante.*

appareil-photo. Sur un film, des images s'impriment. Au cinéma, à la télévision, tu regardes des films. Un dessin animé est aussi un film.

FLAMME. C'est ce qui se dégage d'une chose qui brûle. La flamme est chaleur et lumière. Ainsi, la flamme d'une bougie t'éclaire. La flamme du réchaud à gaz chauffe les marmites.

FLEUR. C'est une partie d'une plante. Sans les fleurs et les abeilles, tu ne mangerais pas de miel. Un monde sans fleur serait laid.

FOOTBALL. C'est un jeu de ballon. Une équipe compte 11 joueurs. Il existe aussi des équipes féminines.

FORÊT. C'est un très grand bois.

FORT. On est fort par le corps ou par l'esprit. Un sportif est fort en poids et haltères. Un savant est fort en mathématiques. As-tu visité un château fort?

FOUR. C'est un endroit que l'on peut chauffer. Dans un four, on cuit, on sèche, on soude.

FOURCHETTE. Avant de connaître la fourchette, les gens mangeaient avec les doigts.

FOURMI. C'est un insecte qui vit en colonie. L'endroit où vivent les fourmis s'appelle une fourmilière.

FRAISE. C'est le fruit du fraisier. Les petits grains de la fraise sont ses semences. As-tu parfois goûté des fraises sauvages?

FRERE. Deux enfants nés d'un même père et de la même mère sont frères. Parfois des gens se considèrent comme des frères. Ce sont des gens qui s'entendent bien et s'aiment bien.

FRIANDISE. C'est un bonbon ou un petit gâteau que tu manges avec les doigts.

FROMAGE. C'est un aliment. Avec la crème du lait de vache ou de chèvre, on fabrique des fromages.

FRUIT. C'est ce que la plante produit après la fleur. Un fruit renferme parfois un noyau, parfois des pépins. Les moules, les huîtres, les langoustines, les crevettes que tu manges sont appelées "fruits de mer".

FUMEE. C'est du gaz qui se dégage d'une chose en train de brûler. La fumée du tabac est nuisible à la santé.

FUMER. C'est tirer sur une cigarette, un cigare, une pipe pour aspirer sa fumée. Fumer du jambon, c'est le cuire à la fumée. Une cheminée d'usine fume.

FUSEE. C'est un engin qu'on fait tourner autour de la Terre. Une fusée est allée sur la Lune. Une fusée, c'est aussi un bâtonnet qui fait des étincelles quand on l'allume.

Les joueurs de football *shootent dans le ballon.*

G

GALOPER. Le cheval galope quand il court vite.

GANT. Comme une main, un gant a cinq doigts. Un gant de boxe n'a qu'un pouce.

GARAGE. C'est un abri pour véhicules. Dans son garage, le garagiste répare et entretient les autos, les motos, les vélomoteurs,...

GARÇON. C'est un enfant qui deviendra un homme. Un garçon de café est un serveur.

GARDER. C'est surveiller un endroit. On le défend ou on le protège. Garder un malade, c'est prendre soin de lui. Garder un prisonnier, c'est l'empêcher de fuir.

GARE. Dans une gare, les trains de voyageurs et de marchandises arrivent et partent.

GÂTEAU. C'est une pâtisserie. Un gâteau se prépare avec de la farine, du beurre, du sucre et des œufs. Les abeilles font leur miel dans les gâteaux de cire de la ruche.

GAUCHE. Ton cœur bat à gauche. Place ta main gauche sur le genou droit. Etre gauche, c'est aussi être maladroit. Mais un gaucher est rarement gauche.

GAZ. Tu connais le gaz de ville et le gaz naturel. Ils alimentent des cuisinières et certains chauffages. Dans le monde, les gaz sont très nombreux. Le plus répandu se trouve dans l'air que tu respires, c'est l'oxygène.

GENDARME. C'est un métier utile. Les gendarmes te protègent. S'ils n'étaient pas là, les lois de ton pays seraient-elles respectées par tout le monde?

GENOU. Le genou relie la jambe à la cuisse. Un sportif blessé au genou met une genouillère.

GIBIER. Ce sont tous les animaux que l'on tue à la chasse: le cerf, le faisan, le lapin, le canard sauvage, le lièvre...

GIRAFE. C'est un ruminant. La girafe n'a pas de corde vocale. Elle ne pousse donc aucun cri. La girafe vit en Afrique. Elle peut avoir six mètres de haut.

GLACE. C'est de l'eau solide, de l'eau congelée. Une glace est aussi une vitre, un miroir.

GLAND. C'est le fruit du chêne. La pipe d'un gland s'appelle une cupule. Pendant longtemps, les fermiers ont nourri leurs cochons avec des glands. Aujourd'hui, les cochons ne sortent plus souvent des étables. Ils mangent des bouillies.

GLISSER. C'est avancer sur de la glace ou de la neige. C'est aussi déraper... sur une peau de banane. As-tu un traîneau, une luge?

Le cheval du cow-boy galope.

La girafe *a un très long cou.*

Les raisins forment une grappe.

La grenouille *est un batracien.*

Le guignol *est un théâtre de marionnettes.*

La guitare *est un instrument de musique.*

GONFLER. Quand tu gonfles un ballon, tu le remplis d'air. Alors le ballon enfle. Pour gonfler les pneus de ton vélo, tu as besoin d'une pompe.

GOURMAND. Etre gourmand, c'est manger beaucoup et même trop. La gourmandise est un défaut.

GOUTTE. C'est une petite boule de liquide. Une larme est une goutte de chagrin... ou de bonheur. La pluie est un chapelet de gouttes. Pour te mettre des gouttes dans le nez, tu utilises un compte-gouttes.

GRAINE. C'est d'une graine que sort une nouvelle plante. Ton canari picore des graines.

GRAND-MERE. C'est la maman de papa ou de maman.

GRAND-PERE. C'est le papa de maman ou de papa.

GRAPPE. C'est un ensemble de fruits ou de fleurs. Pour faire son vin, le vigneron écrase des grappes de raisin.

GRAVE. Un accident peut être grave. Certains chanteurs d'opéra ont une voix grave. As-tu une voix aiguë ou une voix grave?

GRÊLE. C'est une pluie qui se congèle en tombant. En hiver et même au printemps, le ciel est parfois un grand congélateur.

GRENOUILLE. C'est un animal aquatique. Une grenouille qui sort de l'œuf est un têtard. La grenouille coasse. Le corbeau croasse.

GRIFFER. C'est donner un coup de griffe ou un coup d'ongle. Un chat griffe pour jouer ou pour se défendre.

GRIMACE. Faire des grimaces est amusant. Un clown grimace. Les gens qui grimacent sans le vouloir ont un tic.

GRONDER. Tes parents te grondent-ils souvent? Le ciel gronde quand le temps est orageux. As-tu déjà entendu un torrent gronder?

GUÊPE. C'est un insecte qui ressemble à une abeille. La guêpe a un dard. Elle vit dans un nid et non dans une ruche.

GUIDON. Ton vélo a un guidon. Est-ce un guidon droit ou un guidon de course? Un vélomoteur et une moto ont aussi un guidon. Une auto a un volant.

GUIGNOL. C'est un théâtre de marionnettes. C'est aussi le nom d'une marionnette. Faire le guignol, c'est faire le petit fou ou la petite folle. Possèdes-tu un guignol?

GUITARE. C'est un instrument de musique. Le guitariste pince ou gratte les cordes de sa guitare. Il existe des guitares sèches et des guitares électriques.

H

(S')HABILLER. C'est mettre des vêtements. A ton âge, on peut s'habiller tout seul.

HAIE. C'est une clôture d'épines ou de branchages. Certains oiseaux font leur nid dans une haie. Sur un hippodrome, les chevaux de course franchissent parfois des haies.

HAMSTER. C'est un mammifère rongeur. Il creuse des terriers qui ont parfois deux mètres de long. Le hamster y stocke de la nourriture pour l'hiver. Un hamster est plus petit qu'un cobaye.

HARMONICA. C'est un petit instrument à vent. Pour en jouer, tu souffles ou tu aspires. Mais ce n'est pas si facile de bien jouer de l'harmonica.

HÉLICOPTERE. C'est un engin qui vole sans ailes. Un hélicoptère ressemble à une libellule. Ses hélices tournent très vite. Un hélicoptère est très utile. Il permet de sauver des alpinistes perdus ou des astronautes tombés avec leur capsule dans la mer.

HERBE. C'est une plante molle en forme de tige. La tondeuse à gazon coupe l'herbe des pelouses. Dans l'armoire de la cuisine, maman range des herbes en pots. Sais-tu à quoi elles servent?

HERISSON. C'est un insectivore. Son dos est recouvert de piquants. Quand un hérisson se met en boule, il ressemble à une grosse bogue de châtaigne.

HEURE. C'est 1/24e du jour. Une heure, c'est 60 minutes. Et une demi-heure?

HEUREUX. C'est le contraire de malheureux. Etre heureux, c'est garder dans son cœur un petit grain de bonheur.

HIBOU. C'est un oiseau de nuit. Le hibou est très utile. Il mange les rats, les souris... Quand un hibou crie, on dit qu'il hue.

HIER. C'est le jour avant aujourd'hui.

HIPPOPOTAME. C'est un mammifère d'Afrique. Il se nourrit d'herbes mais il ne rumine pas. Un hippopotame vit dans des fleuves ou dans des marécages. Il peut peser 4 tonnes.

HIRONDELLE. C'est un oiseau voyageur. L'hirondelle nous quitte en automne et revient dès les premiers jours du printemps.

HIVER. C'est la saison entre l'automne et le printemps. En hiver, il gèle et il neige.

HOMME. C'est un mammifère qui pense et parle.

HORLOGE. C'est une machine qui sert à mesurer le temps. Elle indique l'heure. Dans le téléphone, il y a une horloge parlante.

Un hélicoptère *peut rester immobile dans l'air.*

Le hibou *est un animal nocturne. Il mange des rats et des souris.*

*L'*hippopotame *peut peser 4 tonnes.*

L'igloo *est une hutte de glace construite par les Esquimaux.*

IGLOO. C'est une hutte que les Esquimaux construisent avec de gros blocs de glace. Aujourd'hui, les Esquimaux vivent dans des maisons plus confortables.

ÎLE. C'est une terre entourée d'eau. L'Angleterre est une île. Cherche des îles sur une carte du monde.

IMAGE. Une image représente une personne ou une chose. Il y a des images dessinées, sculptées, filmées. Regarde-toi dans un miroir et tu verras ton image. Aimes-tu les livres d'images?

IMMEUBLE. C'est une maison, une habitation à plusieurs étages.

IMPERMEABLE. C'est un vêtement de pluie. Un sol imperméable ne laisse pas passer d'eau du tout.

INCENDIE. C'est un grand feu qui se propage. En été, il y a chaque année des incendies de forêts. Il suffit d'un fumeur imprudent et un incendie éclate.

INDIEN. C'est un habitant de l'Inde. C'est aussi un Américain. Sais-tu pourquoi? Christophe Colomb arriva en Amérique. Il croyait être en Inde. Alors il appela ces hommes inconnus des Indiens.

INDIQUER. C'est montrer une personne ou une chose. L'horloge indique l'heure.

INFIRMIER. **INFIRMIERE**. C'est un homme ou une femme qui soigne les malades. Un infirmier ou une infirmière travaille dans un hôpital ou à domicile. Connais-tu un infirmier, une infirmière?

INJECTION. Faire une piqûre, c'est injecter un produit. C'est donc faire une injection. Dans une seringue à injection, le liquide est sous pression.

INONDATION. C'est de l'eau qui déborde de la mer, d'un fleuve, d'une rivière... ou d'une casserole!

INSCRIRE. C'est écrire ou graver. Tu trouves des inscriptions sur des tombes de cimetière.

INSECTE. C'est un animal sans vertèbres. Un insecte a 6 pattes. Un papillon, une coccinelle, une mouche, une libellule sont des insectes.

INSTITUTEUR. Es-tu l'élève d'un instituteur ou d'une institutrice? Quel est son prénom?

INSTRUMENT. C'est un objet de travail ou de plaisir. Un marteau est un objet de travail. Une trompette est un instrument de musique.

INVALIDE. C'est une personne qui ne peut plus travailler. Connais-tu un invalide de guerre?

Indien *sur son cheval.*

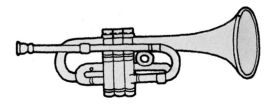

La trompette est un instrument *de musique.*

J

JAMBE. Ta jambe va du genou au pied. Quelqu'un qui a peur prend ses jambes à son cou!

JARDIN. Ta maison a-t-elle un jardin? Dans un jardin, on trouve des fleurs et des arbres. Une personne qui cultive un jardin est un jardinier. Un potager est un jardin aux légumes.

JEU. Le tennis est un jeu de balle. Le jeu de l'oie est un jeu de société. Regardes-tu les jeux télévisés? Sais-tu ce que sont les Jeux Olympiques?

JEUNE. C'est le contraire de vieux. On peut être âgé et rester jeune. Rester jeune, c'est aimer la vie. Un poulain est un jeune cheval.

JOUE. As-tu les joues rouges? Si tu as les joues pâles, va courir dans le vent.

JOUER. C'est s'amuser. De quel instrument de musique aimerais-tu jouer?

JOUET. C'est un objet destiné à t'amuser. Les jouets les plus chers ne sont pas toujours les plus amusants.

JOUR. C'est 1/7e d'une semaine. Un jour, c'est 24 heures. Quel est le jour de ta naissance?

JOURNAL. Dans un journal, on écrit tout ce qui se passe jour après jour.

JUDO. Faire du judo, c'est apprendre à se défendre. Un judoka pratique le judo pour son plaisir ou par sport. Ce sport de défense vient du Japon.

JUMEAU. Des jumeaux sont deux ou plusieurs enfants nés d'un même accouchement. Ils ont donc le même âge. Le féminin de jumeau est jumelle.

JUMELLE. Le jumeau est un garçon. La jumelle est une fille. Des lunettes qui permettent de voir loin sont aussi appelées jumelles. Possèdes-tu des jumelles?

JUPE. C'est un vêtement que les filles et les femmes portent. Un jupon est une jupe de dessous.

K

KANGOUROU. C'est un mammifère qui vit en Australie. Il peut faire des sauts de 13 mètres de long et de 3 mètres de haut. Un kangourou femelle conserve son petit dans une poche de son ventre. Le petit reste là pendant 6 mois.

KILO. Un kilo, c'est 1.000 grammes, 100 décagrammes, 10 hectogrammes. Connais-tu ton poids? Combien pèses-tu de kilos?

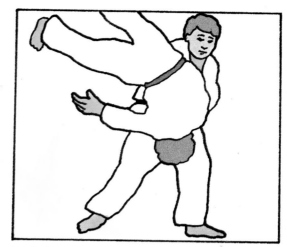

Le judo est un sport qui t'apprend à te défendre.

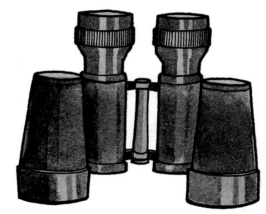

Les jumelles te permettent de voir loin.

Le kangourou est un mammifère vivant en Australie.

L

La laitue se mange en salade.

LAC. C'est une grande étendue d'eau entourée de terres. Un lac naturel s'est formé tout seul. Un lac artificiel est creusé par l'homme. Connais-tu le nom d'un lac?

LACET. C'est un cordon que l'on noue. Un lacet sert à fermer une chaussure ou un corsage. A ton âge, tu dois savoir nouer tes lacets sans aide. Une route qui fait des zigzags est une route en lacets.

LAINE. C'est le poil épais et doux de la toison de certains animaux. Tu connais surtout la laine de mouton. On en fait des bas, des pulls, des écharpes, des gants, des robes... La laine te protège du froid. Sais-tu tricoter?

LAIT. Les animaux boivent le lait de leur mère. L'enfant aussi! As-tu pris le sein de ta maman?

LAITUE. C'est une plante que tu manges en salade... sauf si la chenille est passée avant toi.

LAMPE. Tu connais les lampes électriques. As-tu une lampe de poche? Avant, les gens s'éclairaient avec des lampes à huile ou des lampes à pétrole.

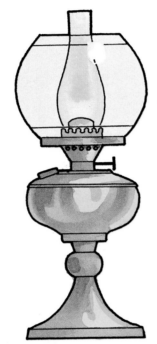

Avant, les gens s'éclairaient avec des lampes à pétrole.

LANCER. C'est envoyer loin de soi mais pas n'importe où. Les Américains ont lancé une fusée vers la Lune. As-tu déjà pêché la truite avec une canne au lancer?

LANGE. C'est un morceau d'étoffe ou de laine qui enveloppe un bébé. Pour que tu n'aies pas le pet mouillé, maman et papa te plaçaient dans des langes modernes en épais papier.

LANGUE. Ta langue compte 17 muscles. Une langue sert à sucer, à avaler, à sentir ce qui est salé ou sucré. Sans langue, tu ne parlerais pas. On dit qu'un bavard a une longue langue... Quelle est la langue de ton pays?

LAPIN. C'est un rongeur qui vit en cage ou dans la nature. Elèves-tu des lapins?

LARME. C'est une goutte salée qui tombe parfois de tes yeux. Si tu pleures pour rien ou si tu fais semblant de pleurer, tu verses des larmes de crocodile!

LAVABO. C'est une cuvette attachée au mur. Te laves-tu parfois dans un lavabo?

LAVER. C'est nettoyer avec de l'eau.

LECHER. C'est passer la langue sur quelque chose: une sucette, une crème glacée. Le chien se lèche ou te lèche. Il se lave ou te salit!

LEGER. C'est ce qui n'est pas plus lourd qu'une plume. Un accident léger est un accident peu important.

Un lapin a de longues oreilles.

LEGUME. C'est une plante que les hommes mangent. Le chou-fleur est un légume. Le poireau aussi.

LENT. C'est ce qui n'est pas rapide. La tortue et l'escargot se déplacent lentement. Connais-tu la fable du lièvre et de la tortue? Qui était le plus lent?

LETTRE. De A à Z, l'alphabet compte 26 lettres. Les connais-tu? As-tu déjà écrit une lettre à un ami, à une amie? Y a-t-il une boîte aux lettres dans ta rue?

(SE) LEVER. C'est se mettre debout. C'est aussi sortir du lit. A quelle heure te lèves-tu?

LEZARD. C'est un petit reptile. Son corps est couvert d'écailles. Tu le trouves sur ou sous une pierre.

LIEVRE. C'est un rongeur. Il a de longues pattes arrière et de longues oreilles. Un lièvre ne creuse pas de terrier. La hase est sa femelle.

LIMONADE. C'est du jus de citron, du sucre et de l'eau. C'est une boisson rafraîchissante.

LINGE DE CORPS. C'est l'ensemble des sous-vêtements. Au-dessus la chemisette. En dessous, le caleçon ou la culotte.

LION. C'est un mammifère carnassier. Il vit surtout en Afrique. La lionne met au monde des lionceaux. Dans les contes, le lion est le roi des animaux. As-tu visité un zoo et vu un lion?

LIRE. C'est suivre des yeux ce qui est écrit... et surtout comprendre. Tu sais déjà lire. Aime les livres. La lecture amuse et instruit.

LIT. C'est un objet utile pour se reposer et pour dormir. La rivière a aussi un lit. Mais quand y dort-elle? Et si tu apprenais à faire le lit?

LIVRE. Ce dictionnaire est un livre. Combien compte-t-il de pages?

LOUP. C'est un carnassier comme le chien. Le loup aspire l'eau. Le chien la lape. La louve met bas des louveteaux...

LUGE. C'est un petit traîneau pour glisser sur la neige. Possèdes-tu une luge?

LUMIERE. C'est ce qui éclaire les objets et te permet de les voir. Sans la lumière du soleil, il n'y aurait pas de vie sur la Terre. L'homme a recréé la lumière. Un interrupteur et hop! la lampe s'allume.

LUNE. C'est une planète qui tourne autour de la Terre en 29 jours. La Lune est un miroir pour la Terre. Elle nous renvoie la lumière du soleil. L'homme a mis le pied sur la Lune pour la première fois en 1969. En classe, es-tu souvent dans la lune?

LUNETTES. En portes-tu? Les verres de lunettes ne sont-ils pas de petites lunes?

Le chou-fleur est un légume.

Le lion *est le 'roi des animaux'.*

L

La lune *est une planète.*

27

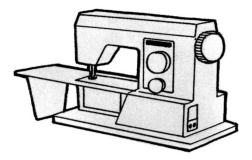

La machine à coudre permet de confectionner des vêtements.

La vache est un mammifère.

Ceci est une marionnette à fils.

MACHINE. C'est un objet de travail. Une machine se fabrique dans une usine. L'automobile et l'avion sont des machines. Tu connais la machine à laver, la machine à coudre... Y a-t-il une machine à écrire à la maison?

MAGASIN. C'est un lieu où l'on dépose ou vend des marchandises. Le magasin, c'est aussi la partie d'une arme où l'on met les cartouches.

MAGICIEN. C'est une personne qui fait des tours de magie. Le magicien est très adroit. Comme tu le sais, il a toujours un truc.

MAILLOT DE BAIN. C'est un petit vêtement souple. Un nageur porte un maillot de bain et un bonnet. Au Tour de France, le premier coureur du classement a un maillot jaune.

MAIN. Tu as deux mains. Le singe en a quatre!

MAISON. C'est une construction qui sert d'abri à l'homme. Combien ta maison compte-t-elle de pièces?

MALADE. C'est une personne en mauvaise santé.

MAMAN. C'est la femme qui t'a donné le jour. Une maman se fête en mai, le mois des fleurs.

MAMMIFERE. Animal qui met ses petits vivants au monde et qui les nourrit de son lait.

MANEGE. A la foire, il y a souvent un manège de chevaux vivants et toujours un manège de chevaux de bois. Quel manège préfères-tu?

MANGER. C'est avaler pour se nourrir. Manger trop vite, c'est digérer mal.

MANTEAU. C'est un vêtement que tu portes au-dessus d'un autre vêtement. Un manteau te protège du froid et de la pluie.

MARCHE. C'est un lieu public où des commerçants se réunissent pour vendre leurs marchandises. Au marché aux puces, on n'achète pas des puces mais de vieux bibelots.

MARIN. Tout ce qui appartient à la mer est marin: l'air marin, le sel marin, l'algue marine... Un marin navigue sur la mer. As-tu déjà fait un voyage en bateau?

MARIONNETTE. C'est un petit personnage de guignol. Il est en bois, en carton ou en chiffon. Il existe des marionnettes à gaine et des marionnettes à fils. Joues-tu parfois avec des marionnettes? C'est si amusant!

MARMOTTE. C'est un mammifère rongeur. Une marmotte dort tout l'hiver: elle hiberne dans un terrier.

MARTEAU. C'est un outil de travail. Il sert à frapper le bois, la pierre, le métal... Un sculpteur a besoin d'un marteau solide. As-tu essayé d'enfoncer un clou avec un marteau?

MASQUE. C'est un objet que tu te places sur le visage pour ne pas être reconnu. Il y a des masques de carnaval mais aussi des masques de théâtre. Il en existe dans tous les pays. As-tu visité un musée du masque?

MATELAS. Tu dors sur un matelas. Qu'y a-t-il à l'intérieur? De la mousse ou des plumes?

MÉCHANT. Le méchant fait du mal ou cherche à faire du mal aux autres. Dans les contes, les sorcières sont toujours méchantes; les fées le sont rarement.

MÉDICAMENT. C'est une matière qui combat la maladie. Il ne faut jamais chipoter dans l'armoire aux médicaments. Aucun médicament n'est une friandise... même s'il a un goût agréable.

MEMBRE. Un homme a quatre membres: deux bras et deux jambes. Es-tu membre d'un club?

MENTIR. C'est ne pas dire la vérité. On peut aussi écrire des mensonges. Un menteur ou une menteuse n'a jamais à être fier.

MER. C'est une très grande étendue d'eau salée.

MÉTRO. C'est un moyen de transport souvent souterrain. Ce chemin de fer sous la terre ne se trouve que dans les grandes villes.

METTRE. C'est un verbe qui veut dire beaucoup de choses. Tu mets ton pardessus, tu mets de l'eau dans l'aquarium, tu mets la tête sous la douche... Le mieux pour toi serait dire: j'enfile mon pardessus, je verse de l'eau dans l'aquarium, je me plonge la tête sous la douche...

MEUBLE. C'est un objet utile en bois ou en fer. Sans les meubles, où rangerais-tu tes jouets, tes cahiers, le linge, la vaisselle, les livres?

MICRO. Ton enregistreur à cassettes possède un micro. A la télévision et dans les salles, les chanteurs utilisent un micro. Le vrai mot est microphone.

MIDI. C'est le milieu du jour, la douzième heure. A midi, tu déjeunes.

MINUIT. C'est le milieu de la nuit. C'est la douzième heure après midi. A minuit, tu dors... sauf peut-être à la Noël et au Nouvel-An.

MIROIR. Le miroir réfléchit la lumière et les objets. L'eau propre est un miroir. Regarde-toi dans l'eau d'un seau.

MOINEAU. C'est un petit oiseau que tu rencontres partout, dans les champs et dans les villes.

MONTAGNE. C'est une grande élévation de ter-

La marmotte dort tout l'hiver.

Cet ouvrier frappe avec un marteau.

M

Les enfants aiment porter des masques.

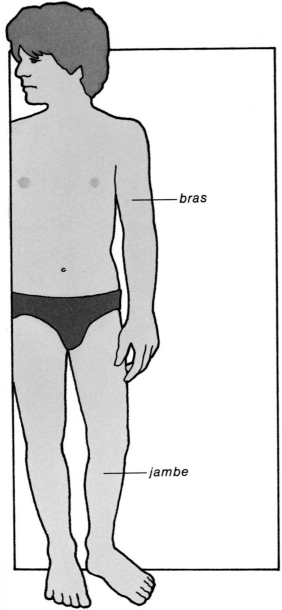

bras

jambe

Les jambes et les bras sont des membres.

Le chanteur chante devant un micro.

rain. Une montagne est plus haute qu'une colline. L'Everest s'élève à 8880 mètres. Cherche cette montagne sur une carte du monde. C'est la plus haute de la Terre.

MONTER. C'est se déplacer de bas en haut. C'est aussi se placer dans un véhicule ou sur un animal. Tu peux monter en avion ou à cheval.

MONTRE. Une montre indique l'heure. La Suisse est un pays réputé pour ses montres.

(SE) MOQUER. C'est rire de quelqu'un, le ridiculiser. Qui a le droit de se moquer des autres?

MORDRE. Le chien mord, le serpent aussi. Toi, tu peux mordre à belles dents dans une pomme. A la pêche, le poisson mord moins quand le vent est au Nord.

MOT. Un mot compte une ou plusieurs syllabes, une ou plusieurs lettres. Le plus long mot de la langue française a 25 lettres. C'est "anticonstitutionnellement". Ouf!

MOTEUR. Un planeur est un avion sans moteur. Tu es le moteur de ton auto à pedales. Un vélo qui possède un moteur est un vélomoteur. Les moteurs des fusées sont très puissants. As-tu déjà vu une souris à moteur?

MOUCHE. C'est le nom de plusieurs insectes. La mouche domestique transporte des microbes sur ses pattes et sa trompe. Elle est nuisible. L'abeille est aussi appelée mouche à miel. Pêcher à la mouche artificielle n'est pas facile.

(SE) MOUCHER. Quand tu te mouches, tu presses tes narines puis tu souffles fort. C'est simple... si tu n'as pas oublié ton mouchoir!

MOUCHOIR. C'est un tissu ou un papier qui sert à se moucher. Un mouchoir, c'est le cadeau que Blanche-Neige aurait dû offrir au nain Atchoum!

MOUILLE. Mieux vaut avoir les yeux mouillés de pluie que les yeux mouillés de larmes.

MOULIN. C'est une machine à moudre. Les moulins à vent et à eau sont devenus rares. Aujourd'hui, des moulins à moteur broient le blé. Dans chaque maison, il y a un moulin à café et un moulin à poivre. Où ranges-tu ceux de ta maison?

MOURIR. C'est cesser de vivre. Quand quelqu'un est mort, on l'enterre.

MOUSTACHE. Papa a-t-il une moustache? Grand-papa a-t-il des poils sous le nez?

MOUTON. C'est un ruminant. Il bêle. La brebis est la mère des agneaux. La laine de mouton est douce.

MUSIQUE. C'est le seul langage qui unit tous les gens du monde. On fait de la musique depuis des siècles. Connais-tu les notes de la gamme?

N

NAGER. C'est avancer dans l'eau... sans couler. Le bois nage. Et toi, sais-tu nager?

NAISSANCE. C'est le commencement de la vie. Quand es-tu venu au monde? A quelle heure?

NEIGE. C'est de l'eau congelée. Les flocons de neige sont des moustiques de gel. Aujourd'hui, on peut même skier... sans neige.

NETTOYER. C'est rendre propre. Tu nettoies la maison ou tes dents, mais pas avec la même brosse.

NEUF. C'est ce qui n'a jamais servi. As-tu neuf paires de souliers neufs?

NEZ. C'est la partie de ton visage qui dépasse de la tête. On dit que c'est l'organe de l'odorat. Même quand tu as un rhume, mets un peu de gouttes dans ton nez.

NICHE. C'est la petite maison du chien. C'est aussi celle d'une petite statue. Fais-tu parfois des niches à tes camarades?

NID. Au printemps, les oiseaux font leur nid. Ils y pondent leurs œufs et élèvent leurs petits. Méfie-toi d'un nid de guêpes. Les fourmis ont aussi leurs nids. Ton berceau était un doux nid.

NOËL. C'est le 25 décembre. La Noël est la fête de la naissance de Jésus-Christ.

NOIX. C'est le fruit d'un arbre: le noyer. Une coquille protège une sorte d'amande. La noix est un fruit sec comme la faîne, la cacahuète, la noisette.

NOM. C'est un mot ou plusieurs mots. Il désigne une personne ou une famille. Chaque objet, chaque chose a aussi un nom. Quel est le nom de famille de ta maman?

NOYAU. C'est la partie dure d'un fruit. Le noyau se trouve au milieu du fruit. La cerise, la prune, la pêche ont un noyau. La Terre a un noyau de feu. Parfois, le noyau craque. Alors le feu sort par la cheminée des volcans.

NUAGE. C'est de la vapeur d'eau qui flotte dans le ciel. Un nuage est formé de fines gouttelettes. Quand il est trop lourd, il crève comme un ballon... et il pleut!

NUIT. C'est le temps qui s'écoule entre le coucher et le lever du Soleil. Certains papas et certaines mamans travaillent de nuit.

NUMERO. C'est un chiffre ou un nombre qui désignent des gens, des animaux ou des choses. Le dossard d'un sportif ou d'un cheval de course porte un numéro. Quel est le numéro de ta maison?

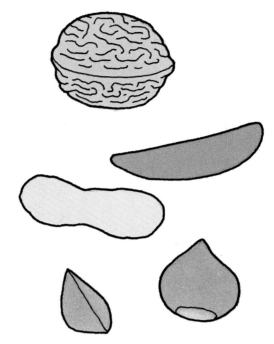

Noix, *noisettes et cacahuètes sont des fruits secs.*

La nuit, *les étoiles brillent dans le ciel.*

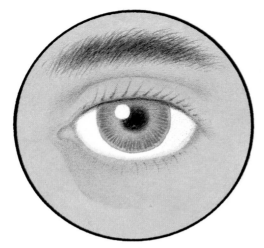

L'œil te permet de voir.

L'oignon est une plante potagère.

Ces musiciens font partie d'un orchestre.

O

OBEIR. C'est faire ce que l'on t'ordonne. C'est aussi ne pas faire ce qu'on te défend. Un enfant a besoin de conseils. Ses parents le guident. Il est donc normal d'obéir à papa et maman.

OBSTACLE. C'est quelque chose qui gêne le mouvement ou le passage. Dans certaines courses de chevaux, les haies sont des obstacles.

OCEAN. C'est une immense étendue d'eau salée. Les océans couvrent une grande partie de la Terre. Entre l'Europe et l'Amérique se trouve l'océan Atlantique. Situe-le sur une carte.

ODEUR. Certains corps produisent une sorte de vapeur. Tu perçois l'odeur grâce à l'odorat. Mais toutes les odeurs qui chatouillent ton nez ne sont pas des parfums.

ŒIL. C'est l'organe de la vue. Un borgne ne voit plus que d'un œil. Les poils de la paupière sont des cils. Les sourcils sont aussi des poils; ils sont situés au-dessus des yeux.

ŒUF. Les œufs sont pondus par les femelles. Les oisillons, les têtards, les tortues sortent d'un œuf. Les œufs de Pâques tombent-ils du ciel?

OIE. C'est un oiseau palmipède. En cuisine, le foie gras est un foie d'oie. Avec le duvet de l'oie, on fait des édredons. Le mâle de l'oie s'appelle le jars.

OIGNON. C'est une plante potagère. La tulipe, la jacinthe sortent toutes deux d'un oignon. Un oignon de cuisine te fait pleurer... sans être triste!

OISEAU. C'est un ovipare couvert de plumes. Il existe 20.000 espèces d'oiseaux! L'autruche est un oiseau coureur.

OMBRE. Quand un corps arrête la lumière, celle-ci crée un reflet. Ce reflet, c'est une ombre.

ONCLE. C'est le frère de papa ou de maman.

ONGLE. Tu as 20 ongles: 10 aux mains et 10 aux pieds. As-tu encore besoin d'aide pour les couper? Les ongles poussent vite.

OPERATION. Une opération, c'est couper ou enlever une partie malade. Enlever les amygdales d'un enfant est une opération. A l'école, tu apprends à calculer. Connais-tu les quatre opérations?

OR. C'est un métal précieux. Il ne rouille pas. Y a-t-il chez toi une bague ou une montre en or?

ORAGE. As-tu peur des éclairs et du tonnerre? Un orage est la rencontre de deux nuages.

ORANGE. C'est la couleur... de l'orange. Les oranges poussent sur les orangers.

ORCHESTRE. C'est un groupe de personnes qui font de la musique ensemble. Ces personnes sont des musiciens et musiciennes. Une trompette est un instrument à vent; un violoncelle est un instrument à cordes.

ORDINATEUR. C'est un appareil moderne qui donne vite des renseignements. Dans les fusées, il y a des ordinateurs. Plus tard, il y aura un ordinateur dans beaucoup de maisons.

ORDONNANCE. C'est la feuille sur laquelle un médecin inscrit les médicaments à prendre. Le pharmacien fournit les médicaments de l'ordonnance aux malades.

OREILLE. C'est l'organe de l'ouïe. La partie de l'oreille que tu vois s'appelle le pavillon. Deux autres parties sont cachées. Tu les étudieras plus tard à l'école. Et ce jour-là, sois attentif tends bien l'oreille!

ORTEIL. C'est un doigt de pied.

ORTIE. C'est une plante bizarre. Ses feuilles sont poilues. Qui s'y frotte s'y pique!

OS. Un squelette est composé d'os courts, d'os plats et d'os longs. 208 os forment ton squelette. Ils ont besoin de lait pour grandir.

ÔTER. C'est enlever, retirer. Papa ôte son chapeau pour saluer quelqu'un. Les femmes n'ôtent pas leur chapeau dans la rue.

OUATE. On dit de la ouate ou de l'ouate. C'est de la laine, de la soie, du coton. Dans la trousse de secours de la voiture de tes parents, on trouve de l'ouate.

OUBLIER. C'est avoir un vide dans la tête. Oublies-tu parfois l'heure?

OUI. C'est le contraire de non, hé oui!

OURAGAN. C'est une violente tempête. Parfois l'ouragan détruit des maisons.

OURS. C'est un mammifère carnassier. L'ours blanc vit dans l'eau glacée du Pôle Nord. Il se nourrit de poissons. L'ours brun vit dans les forêts de montagnes d'Europe et d'Asie. Il mange de la viande mais aussi des fruits et du miel.

OUTIL. C'est un objet de travail.

OUVERT. Une porte est ouverte ou fermée.

OUVRIER. C'est une personne qui travaille avec les mains. Un maçon, un menuisier, un plombier, une couturière, une coiffeuse, un mécanicien sont des ouvriers et ouvrières.

OUVRIR. Ouvrir une porte, c'est faire communiquer le dehors et le dedans. Le matin, tu ouvres les yeux. Le grand air ouvre l'appétit. Pour ouvrir la radio ou la télévision, tu dois appuyer sur un bouton ou le tourner.

Un ouragan *est une violente tempête.*

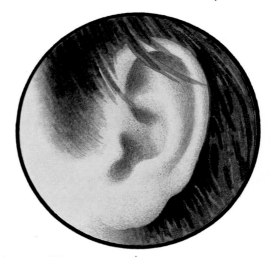

Les oreilles *te permettent d'entendre.*

O

L'ours polaire *vit au Pôle Nord.*

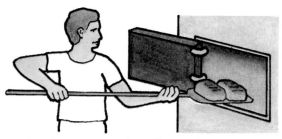
Le boulanger met le pain *au four.*

Le parachutisme *est devenu un sport.*

N'oublie jamais de traverser dans les passages pour piétons.

P

PAIN. C'est un aliment. Dans un pain, il y a de la farine, de l'eau ou du lait et du sel. Le boulanger cuit le pain dans un four.

PANIER. C'est une sorte de corbeille d'osier ou de jonc. Un panier sert à transporter des provisions, des marchandises. Marquer un but au basket-ball, c'est inscrire un panier.

PANNE. Une auto qui ne fonctionne plus est en panne. La panne la plus idiote est la panne d'essence.

PAPILLON. C'est un insecte. Les plus petits ont 3 millimètres; les plus grands 30 centimètres. Tous naissent d'un œuf qui devient chenille, qui devient chrysalide, qui devient papillon.

PARACHUTE. Le parachute pare la chute. Après un saut, le parachutiste replie la toile et les cordes avec grand soin. Le parachutisme est un sport.

PARAPLUIE. C'est une étoffe tendue sur des tiges appelées baleines. Un parapluie est un écran contre la pluie. Tu portes un anorak, mais possèdes-tu un parapluie?

PARC. Quand il est grand, le parc est une place de verdure. Quand il est petit, c'est un parc à bébé. C'est là que tu as appris à te tenir debout. Puis à marcher!

PASSAGE POUR PIETONS. Ce sont des bandes peintes sur la route. Ce passage donne la priorité aux piétons. Traverse toujours une route sur le passage pour piétons. C'est plus prudent!

PATINER. C'est glisser avec des patins sur de la glace. C'est un sport agréable.

PÂTISSERIE. C'est une pâte travaillée et cuite au four. Un pâtissier vend des pâtisseries dans sa pâtisserie.

PAYS. C'est un territoire limité par des frontières. Souvent, chaque pays a sa langue et ses habitudes. Voir du pays, c'est voyager.

PÊCHER. C'est essayer d'attraper des poissons avec une ligne ou un filet. Un pêcher est un arbre. Comment s'appelle son fruit?

PEINTRE. Etre peintre, c'est un art ou un métier. Un artiste peintre peint des toiles. Un peintre en bâtiment peint des maisons.

PERROQUET. C'est un oiseau grimpeur. Un perroquet peut répéter des sons, des mots. Une perruche est un perroquet de petite taille.

PHARMACIEN. Le pharmacien vend des médicaments.

PHOQUE. C'est un mammifère. On le trouve surtout au Pôle Nord. Avec la fourrure du phoque, les fourreurs fabriquent des manteaux.

PHOTO. Le vrai mot est photographie. Chaque adulte doit avoir sa photo sur sa carte d'identité. Possèdes-tu un appareil photo?

PIANO. C'est un instrument de musique. Ses cordes sont frappées par de petits marteaux. Si les cordes ne sont pas bien tendues, le piano est désaccordé. Il sonne faux.

PIED. Tes pieds soutiennent ton corps. Ils te permettent de marcher. Une table a des pieds. Un arbre a un pied... J'arrête sinon je vais te casser les pieds avec le mot pied.

PIGEON. C'est un oiseau qui mange des graines. La femelle du pigeon est une pigeonne. Un pigeonneau est un jeune pigeon, né dans un pigeonnier.

PILE. Dans une pile, il y a du courant électrique. Ta lampe de poche, ton transistor ont besoin de piles. Quand les piles sont usées, c'est la panne.

PIPE. Une pipe a un fourneau et un tuyau. On fume du tabac dans une pipe... ou alors, on en sort des bulles de savon!

PISCINE. C'est un bassin de natation.

PLAGE. C'est une étendue plate couverte de sable ou de galets. Une plage se trouve au bord d'une mer ou d'un océan.

PLANTE. C'est le nom donné à tous les végétaux qui vivent sur la terre ou dans l'eau douce. Ton pied a une plante. C'est sur elle que tu marches...

PLEURER. C'est répandre des larmes. Tu peux pleurer de chagrin... ou de rire.

PLUIE. C'est de l'eau qui tombe en gouttes, des nuages vers la terre. La pluie d'été est tiède. La pluie d'hiver est glacée.

PNEU. Une auto a 5 pneus: un par roue et un de rechange. Un pneu est fabriqué avec du caoutchouc et des fils d'acier. Combien ton vélo a-t-il de pneus?

POIRE. C'est le fruit du poirier.

POISSON. C'est un animal aquatique. Il vit dans l'eau douce ou dans l'eau de mer. Le requin, la carpe, le brochet, la sardine sont des poissons. La baleine n'est pas un poisson: c'est un mammifère.

POMME. C'est le fruit du pommier. Il existe plus de 10.000 sortes de pommes. Une pomme de pin, une pomme de terre et une pomme d'arrosage, ce sont d'autres pommes...

POMME DE TERRE. C'est une plante. Tu manges les tubercules de la plante sous forme de frites!

Voici différentes piles.

La pluie *tombe sous forme de gouttes.*

Le poisson *est un animal aquatique.*

Le pont *enjambe la vallée.*

Le prestidigitateur *fait des tours de passe-passe.*

Ne mets jamais les doigts dans une prise de courant.

POMPIER. C'est un homme ou aussi parfois une femme qui combat les incendies. Une voiture de pompiers a une haute échelle et de très longs tuyaux d'arrosage.

PONT. C'est une construction qui relie deux endroits. Un pont te permet de traverser une rivière, un fleuve, une vallée... Le pont du dessin a des arches. C'est un viaduc.

PORTE. C'est une ouverture pour entrer et sortir. Le facteur, le laitier, le boulanger vont de porte en porte.

POULAIN. C'est le petit d'un cheval et d'une jument.

POULE. C'est un oiseau domestique. Une poule est la femelle du coq. Le petit d'une poule est un poulet. Une poulette est une jeune poule.

POUPEE. C'est un jouet. Avec leurs poupées, les filles jouent à la maman. Ta maman a-t-elle gardé ses poupées de petite fille?

POUSSIN. C'est un poulet qui est né depuis peu.

PRE. C'est une petite prairie.

PRESTIDIGITATEUR. C'est un artiste qui est très adroit des mains. Il fait apparaître et disparaître des objets. Un prestidigitateur a plus d'un tour dans son chapeau!

PRINTEMPS. C'est une saison. Le printemps arrive après l'hiver. Après le printemps, c'est l'été. Le 21 mars est le premier jour du printemps.

PRISE DE COURANT. C'est une plaque à deux trous. On peut y brancher un appareil électrique. Il suffit d'entasser sa fiche dans les trous de la prise. Avec prudence!

PRISON. C'est une grande maison avec des barreaux aux fenêtres. On y enferme les condamnés.

(SE) PROMENER. C'est se déplacer agréablement. A pied, à cheval ou en voiture! Quand tu te promènes, tu promènes aussi ton chien.

PRUNE. C'est le fruit du prunier. Un pruneau est une prune séchée.

PULL. Le vrai nom anglais est pull-over. C'est un tricot de laine ou de coton. Tu mets un pull en le passant par-dessus la tête.

PUNITION. La punition n'est jamais agréable. Tu la reçois si tu désobéis. La punition des voleurs et des assassins, c'est la prison. Le soir, quand tes parents te donnent une punition, tu dois enfiler le mot suivant...

PYJAMA. En Inde, c'est un pantalon léger, large et flottant. Chez nous, c'est un vêtement de nuit. Ton pyjama est composé d'une veste et d'un pantalon.

Q

QUAI. C'est l'endroit où les bateaux accostent. Sur le quai d'une gare, tu attends l'arrivée du train.

QUESTION. Où es-tu né? Quel est le nom de ton école? Vas-tu parfois au cinéma? Ces trois phrases sont des questions. Une question se termine par un point d'interrogation. Une question demande une réponse.

QUEUE. La queue d'un animal part de la colonne vertébrale. Tu joues au billard avec une queue et des boules. Dans l'eau de la mare, les canards vont à la queue leu leu se tremper la queue. As-tu déjà fait la queue devant un cinéma?

QUILLE. Jouer aux quilles, c'est renverser de longs morceaux de bois avec des boules.

Pour jouer au billard, il faut une queue.

R

RADIO. C'est un appareil qui parle et qui chante. La radio des bateaux permet aux marins d'envoyer des messages... ou d'en recevoir!

RADIS. C'est une plante potagère. Un radis a une racine en forme de toupie. Aimes-tu les radis? Ils se mangent crus!

RAISIN. C'est le fruit de la vigne. Le raisin est rouge, blanc ou noir. Avec du raisin, le vigneron fabrique des vins... ou du jus!

RAPIDE. C'est le contraire de lent. L'avion est un moyen de transport rapide. Un cours d'eau qui coule vite est un rapide. Un train qui roule vite est aussi un rapide.

RAQUETTE. C'est un instrument pour jouer au tennis ou au ping-pong. C'est aussi une large semelle pour marcher sur la neige.

RECREATION. C'est un temps pour jouer entre deux leçons. Combien as-tu de récréations par jour? A quelle heure?

REFRIGERATEUR. C'est un appareil électrique. Il conserve les aliments par le froid.

REFROIDIR. C'est rendre plus froid ou moins chaud. Souffles-tu sur du lait chaud pour le refroidir?

REFUSER. C'est ne pas accepter. Je refuse de t'en dire plus.

REMERCIER. C'est dire merci.

REMORQUE. C'est un véhicule sans moteur. Une remorque est tirée par un autre véhicule. Une caravane est une remorque de camping.

Pour jouer au tennis, il te faut une raquette.

Le requin *est un poisson dangereux.*

Le réveil *peut t'avertir quand tu le désires.*

Le rhinocéros est un très grand mammifère.

Un moulin à eau a une roue.

RENARD. C'est un mammifère carnassier. Il a une grosse queue velue et un museau pointu. On dit que le renard est rusé donc adroit.

REPAS. C'est la nourriture que tu prends chaque jour, le matin, le midi et le soir.

(SE) REPOSER. C'est rester immobile, allongé. C'est aussi sommeiller ou même dormir. Les animaux fatigués se reposent toujours. Les gens fatigués se reposent moins souvent. Ils ont tort de trop courir.

REQUIN. C'est un poisson. Le requin blanc est plus dangereux que le requin bleu. Les requins les plus gros pèsent 15 tonnes donc 15.000 kilos. Ils ont alors 15 mètres de long. Mesure 15 mètres dans le jardin... et compare.

RESPIRER. Tu respires par le nez l'air qui te fait vivre.

RESTAURANT. C'est un lieu où l'on te sert à manger... mais pas pour rien!

RÊVE. C'est quand tu vois des choses en dormant. Rêves-tu en noir ou en couleurs?

REVEIL. C'est une petite pendule qui sonne. Tu choisis l'heure... et le réveil, à cette heure, te casse les oreilles! Un réveil s'appelle aussi un réveille-matin. Quelle heure est-il sur le réveil de l'image?

RHINOCEROS. Ce grand mammifère vit dans des marécages. Il a la peau très épaisse. Le rhinocéros d'Asie a une corne sur le nez. Celui de l'image en a deux. C'est un rhinocéros d'Afrique.

RIDEAU. C'est une étoffe qui stoppe la lumière ou la tamise. Les rideaux décorent les fenêtres. Un théâtre a un rideau rouge... et parfois un rideau de fer contre l'incendie.

RIRE. Ris-tu souvent? Si oui, tu es heureux.

ROBE. C'est un vêtement. Les filles et les femmes portent une robe. Les moines et les avocats aussi! La robe d'un cheval, c'est son pelage.

ROBINET. C'est un appareil qui donne de l'eau chaude ou froide. Un robinet mal fermé goutte.

ROSE. C'est la fleur du rosier. La rose est la reine des fleurs. Une rose a des épines. Sais-tu ce qu'est la rose des vents?

ROUE. Une roue est ronde. Un vélo a deux roues, parfois trois. Une auto en a quatre. Un moulin à eau a une roue. A la gymnastique, fais-tu parfois la roue? Le paon aussi fait la roue!

RUE. C'est une sorte de chemin entre deux rangées de maisons. Connais-tu le nom de la rue où tu habites?

RUISSEAU. C'est un petit cours d'eau. Il se jette dans une rivière, dans un étang ou dans un lac. Un ruisselet est un petit ruisseau.

S

SABLE. C'est un mélange de très petits morceaux de coquillages et de roches. Sur la plage, as-tu construit, un jour, un château de sable?

SAISON. Une saison dure trois mois. Il y a donc quatre saisons dans une année. Au printemps, les feuilles d'arbre sortent des bourgeons. En été, le feuillage est épais. En automne, les feuilles meurent et tombent. En hiver, l'arbre est tout nu dans la neige.

SANG. C'est un liquide rouge qui circule en toi. Le sang nourrit ton corps et le nettoie.

SANTE. Si tu te portes bien, tu es en bonne santé. Ta santé est la plus grande richesse.

SAPIN. C'est un arbre. Il contient de la résine. Un sapin a parfois 40 mètres de haut. Ton sapin de Noël est sans doute plus petit!

SAUMON. C'est un poisson acrobate. Il ressemble à la truite. Un saumon remonte les cours d'eau rapides. Pour aller pondre! Sais-tu qu'un saumon parcourt parfois des milliers de kilomètres?

SAVON. C'est un produit qui nettoie ou blanchit. As-tu une pipe à bulles?

SCIE. C'est un objet qui coupe le bois, la pierre et le métal. Dis très vite: six scies scient six saucisses.

SEAU. C'est un récipient utile. Y a-t-il chez toi un seau à glace?

SEC. C'est ce qui n'est pas mouillé. Une noix est un fruit sec. Le sable sec vole dans le vent. Sous ton parapluie, tu te mets à sec.

SECRET. C'est ce qui doit être caché. Si un ami te confie un secret, chut! ne le répète pas!

SEL. Le sel se trouve dans la terre ou dans la mer. Ton corps a besoin de sel. Mais il ne faut jamais en mettre trop sur les aliments.

SEMAINE. Une semaine compte 7 jours. Une année compte 365 jours. Il y a donc 52 semaines dans une année.

SERPILLIERE. C'est une grosse toile. Elle sert à emballer des choses. C'est aussi un torchon pour nettoyer le sol.

SERRURE. C'est un appareil très connu. Il contient une clef ou un ressort. Ton cartable a-t-il une serrure?

SERVIETTE. C'est un linge. Tu utilises tous les jours une serviette de table et une serviette de toilette. Parfois, les serviettes de table sont en papier. Une serviette, c'est aussi une sorte de grand portefeuille.

Il y a quatre saisons *dans une année.*

Le saumon *remonte les cours d'eau rapides.*

Le singe *est un mammifère.*

Un ski *est un long patin.*

SIFFLET. C'est un petit instrument. Tu souffles dedans... et il siffle. Un train possède un sifflet d'alarme. Un arbitre a aussi un sifflet.

SINGE. C'est un mammifère à quatre mains: deux avant et deux arrière. Le chimpanzé, le gorille et l'orang-outan sont de grands singes.

SKI. C'est un long patin. Le skieur en chausse deux pour skier. Tu peux skier sur la neige... mais aussi sur l'eau!

SOEUR. C'est une fille ou une femme. Elle a le même père et la même mère qu'une autre personne. As-tu une soeur? Une religieuse est aussi appelée une soeur.

SOIF. Quand ton corps a besoin d'eau, tu as soif. Les animaux et les plantes ont aussi besoin de boire de l'eau.

SOIR. C'est la fin de la journée.

SOL. C'est le terrain sur lequel tu marches. C'est aussi une note de musique. Do, ré, mi, fa, sol... Continue la gamme.

SOLEIL. C'est un astre de chaleur et de lumière. Les étoiles sont des soleils. La Terre tourne autour du Soleil en un an. En été, tu prends des bains de soleil. Gare aux coups de soleil!

SONNETTE. C'est un petit instrument de métal. Ton vélo a une sonnette.

SOUFFLER. Souffle dans un ballon de plage... et il se gonfle. Souffle sur tes doigts... et ils se réchauffent. Souffle sur ta soupe... et elle se refroidit. Sur ton prochain gâteau d'anniversaire, combien devras-tu souffler de bougies?

SOULIER. C'est une chaussure. Tu le sais. Mais sais-tu quelle est la pointure de tes souliers?

SOUPE. C'est un aliment. Que préfères-tu: une soupe aux légumes ou une soupe au lait?

SOURD. C'est quelqu'un qui entend peu ou qui n'entend plus du tout. On vend maintenant des appareils pour sourds. Beethoven était un musicien sourd.

SOURIS. C'est un petit rongeur. Souris grise ou souris blanche? Une souris peut mettre au monde entre 16 et 48 souriceaux par an!

SPORT. C'est une profession ou une détente. Quel est ton sport préféré?

STATUE. C'est une sculpture. La statue de l'image porte une couronne. C'est une statue de roi. Il existe des statues en or.

SUCRE. C'est un aliment. Deux plantes servent à fabriquer le sucre: la betterave sucrière et la canne à sucre. Manger trop de sucre, c'est mauvais pour les dents... et pour la santé!

SUSPENDRE. C'est fixer en haut et laisser pendre. Tu suspends ton manteau au portemanteau.

Statue *d'un roi sur son cheval.*

T

TABLE. C'est un meuble de bois, de métal ou de plastique. Une table a un ou plusieurs pieds.

TAILLE-CRAYON. C'est un petit outil. Il est très utile. L'écolier s'en sert. L'architecte a aussi besoin d'un taille-crayon.

TAMBOUR. C'est une caisse à la peau tendue. Tu frappes sur la peau avec des baguettes... et le tambour te répond! Les marjorettes marchent et dansent au son des tambours.

TANTE. C'est la sœur de papa ou de maman.

TARTE. C'est une pâtisserie plate. Une tarte est garnie de fruits, de crème, de confiture... ou de fromage! Quelle est ta tarte préférée?

TARTINE. C'est une tranche de pain.

TASSE. C'est un petit récipient. Dans une tasse, tu bois du café, du lait, du cacao... Au bassin de natation, boire une tasse, ce n'est pas gai!

TAXI. C'est une voiture que tu loues. Le chauffeur d'un taxi est un taximan. Sur un taxi, il y a un appareil. Il te donne le prix de la course. C'est un taximètre.

TELEPHONE. Avec fil ou sans fil, un téléphone est un appareil très utilisé. Allô?

TELEVISION. La télévision transmet des images. Un poste de télévision s'appelle un téléviseur. C'est une sorte de boîte magique. Tu appuies sur un bouton et, en une seconde, tu peux être à l'autre bout du monde...

TEMPETE. C'est un vent très violent. Une tempête souffle sur la terre ou sur la mer.

TENNIS. C'est un mot anglais. C'est aussi un sport. Deux ou quatre joueurs frappent une balle à l'aide d'une raquette. La balle doit voler au-dessus d'un filet. Le terrain est un rectangle. La balle qui sort du terrain ou qui reste dans le filet est mauvaise.

TERRAIN DE JEUX. C'est un endroit pour jouer. Sur un terrain de jeux, tu trouves des bacs à sable, des toboggans, des balançoires...

TETE. Ta tête se compose du crâne et de la face. Elle est reliée au tronc par le cou. Tourne la tête à gauche.

THERMOMETRE. C'est un instrument de mesure. Un thermomètre mesure des températures quand tu prends ta température avec un thermomètre, s'il marque moins de 37 degrés, tu n'es pas malade.

TIGRE. C'est un carnassier. Il vit en Asie. Il chasse la nuit. La femelle du tigre est la tigresse. As-tu déjà vu un tigre au zoo?

Le tambour *est un instrument sur lequel on tape avec des baguettes.*

Le tigre *vit en Asie.*

La tortue *a le corps protégé par une carapace.*

T

Les fermiers utilisent les tracteurs *pour aller aux champs.*

Le trafic *sur cette route est important.*

La locomotive traîne les wagons du train.

TOBOGGAN. C'est une sorte de traîneau. C'est aussi une sorte de glissoire. Tu trouves des toboggans sur les champs de foire et sur les terrains de jeux.

TOILETTE. Faire sa toilette, c'est se faire beau. Une toilette, c'est aussi un meuble ou un lavabo. Aller à la toilette, c'est aller au W.C.

TOIT. C'est la couverture d'un bâtiment.

TOMATE. C'est une plante. C'est aussi le nom du fruit rouge de cette plante. Une tomate se mange crue ou cuite. On en fait aussi des sauces.

TONNERRE. C'est le bruit d'une décharge électrique. L'éclair se produit en même temps que le bruit... Mais la lumière va plus vite que le son!

TORTUE. C'est un reptile. Une tortue a le dos et le ventre protégés par une carapace. Elle a aussi un bec et quatre pattes courtes. Il y a des tortues de terre, des tortues d'eau douce et des tortues de mer.

TOUR. C'est un mot qui signifie beaucoup de choses. Une tour, c'est un bâtiment souvent très haut. On y fait le guet. Il y a parfois des cloches au sommet d'une tour.

TRACTEUR. C'est un véhicule automobile. Il tire un ou plusieurs véhicules: des remorques, des machines agricoles. Un tracteur a quatre roues: deux petites devant et deux grandes derrière.

TRAFIC. C'est une circulation de gens et de véhicules par terre, par air ou par mer. Quand tu pars en vacances, le trafic est important.

TRAIN. C'est un véhicule sur rails. Sa locomotive traîne des wagons. Avant, les trains roulaient à la vapeur. Aujourd'hui, ils sont électriques.

TRANSPIRER. C'est éliminer la sueur. Quand tu cours beaucoup, la sueur sort par les pores de ta peau. On dit alors que tu transpires.

TRAVAIL. C'est une occupation nécessaire. Sans travail, où irait le monde? Sois dans la vie un travailleur courageux!

TRAVERSER. C'est aller d'un bout à un autre. Tu traverses prudemment la rue. C'est aussi percer, transpercer. La foreuse traverse la planche.

TROMPETTE. C'est un instrument de musique. La trompette est un instrument à vent.

TROTTOIR. C'est un chemin réservé aux piétons.

TROU. Un trou de lapin est un terrier. Un terrain de golf compte de nombreux trous. Ton nez a deux trous. Une serrure en a un... J'arrête: j'ai un trou de mémoire...

TROUPEAU. C'est un groupe d'animaux. Le berger garde son troupeau. Un troupeau d'éléphants n'a pas de berger...

U

UNIFORME. C'est un costume réglementaire. L'agent de police, le gendarme, le facteur, le soldat portent un uniforme.

USINE. C'est un lieu où des gens travaillent avec des machines. Dans beaucoup d'usines, il y a maintenant des ordinateurs.

UTILE. C'est ce qui est bon, profitable. Le travail est utile. Pour manger, ton couteau, ta fourchette, ta cuiller sont utiles.

V

VACANCES. Ce sont des périodes de repos. Combien as-tu de mois de vacances par an?

VACCIN. C'est un produit préparé à partir de microbes ou de virus. Le médecin vaccine. Ton corps tue les microbes faibles du vaccin. Le jour où les microbes forts sont en toi, ton corps les connaît déjà. Il les combat et les tue.

VACHE. C'est un mammifère ruminant. Le mâle est le taureau. La vache met bas des petits qu'on appelle veaux. Avec la peau de la vache, on fait du cuir. Le lait de vache est un aliment utile.

VAISSELLE. Si tu laves parfois la vaisselle, tu connais les objets qui la composent. Si tu ne la laves pas, vide le lave-vaisselle...

VALISE. C'est un bagage plat, rectangulaire. Une valise se prend par la poignée.

VEAU. C'est le petit de la vache et du taureau.

VELO. Ton vélo a deux roues. On l'appelle aussi: bicyclette. Garde les pieds sur les pédales. Tiens bien le guidon. Bonne promenade!

VELOMOTEUR. C'est un vélo à moteur.

VENDANGER. C'est cueillir le raisin de la vigne. Que va-t-il devenir? Si tu hésites, cherche le mot raisin.

VENT. C'est un déplacement d'air. Les vents soufflent du nord, du sud, de l'est ou de l'ouest. La bise est un vent froid. La brise est un vent doux ou frais.

VER. Ce n'est pas un verre à boire. Ce n'est pas le vert d'une feuille. Ce n'est pas non plus le vers d'une poésie. Ce n'est pas la pantoufle de vair de Cendrillon. Un ver, c'est tout simplement un animal sans patte. C'est le ver de terre, le ver à soie, le ver blanc, le ver luisant.

VERGLAS. C'est une mince couche de glace sur le sol. C'est de l'eau ou du brouillard qui se congèle tout à coup. Gare aux accidents!

Cet homme porte un uniforme.

La vache *nous procure lait, viande et cuir.*

Un vélo *avance si tu pédales.*

Lorsqu'il y a du verglas, *il faut rouler prudemment.*

Un voilier *est un navire à voiles.*

VERRE. C'est une matière dure dans laquelle tu peux te regarder. Le verre se fabrique avec du sable. Un verre à vin est vide. Un verre de vin contient du vin. Je lève mon verre à ta santé!

VESTE. C'est un vêtement à manches. Une veste est boutonnée devant. Elle couvre le buste jusqu'aux hanches.

VÊTEMENT. C'est un objet fabriqué pour couvrir ton corps. Je t'en note 5 que tu connais moins: le kimono, le pagne, le poncho, le châle, la cape.

VETERINAIRE. C'est le médecin des animaux.

VIANDE. C'est la chair des animaux dont tu te nourris. Tu la manges crue, cuite, séchée, salée, fumée, congelée, grillée, rôtie, bouillie...

VIEUX. C'est le contraire de jeune. Un vieux, une vieille sont des gens qui vivent longtemps. Toi, tu es encore très jeune.

VIGNE. C'est un arbrisseau. Une vigne porte des fruits en grappes. Tu connais le raisin. Parfois, des statues ont une feuille de vigne pour slip.

VILLAGE. C'est un groupe d'habitations. Les villageois et villageoises sont les habitants d'un village.

VILLE. C'est un très grand groupe d'habitations. Dans une ville, les commerçants, les bureaux, les grands immeubles sont nombreux. Les citadins et les citadines sont les habitants d'une ville.

VIN. C'est une boisson qu'on fabrique avec le jus du raisin. Le vin est rouge, blanc ou rosé.

VISAGE. C'est la face de l'homme. Ton visage est-il rond, allongé ou ovale?

VOILIER. C'est un navire à voiles. Les vents soufflent dans les voiles et poussent le voilier. Quand Christophe Colomb a découvert l'Amérique, il naviguait sur un voilier.

VOITURE. C'est un véhicule de transport. Une voiture a des roues. Possèdes-tu encore ta voiture d'enfant?

VOLANT. Le volant de l'auto de tes parents est une sorte de roue. Tu diriges ton auto à pédales grâce à son volant. Un rideau a aussi un volant. Tu joues au badminton avec une raquette et un volant... à plumes!

VOLER. C'est se maintenir en l'air avec des ailes... ou dans des engins qui volent: un avion un hélicoptère... Voler, c'est aussi prendre ce qui appartient aux autres... avant d'aller en prison!

VOYAGER. C'est se déplacer pour voir du pays. Une personne qui voyage est un voyageur ou une voyageuse. Quel est ton plus long voyage?

VRAI. C'est le contraire de faux. Tu ne me crois pas? Et pourtant, c'est vrai!

W

WAGON. C'est un véhicule sur rails. Il est tiré par une locomotive. Un wagon transporte des voyageurs, des animaux, des bagages, des marchandises. As-tu déjà dormi dans un wagon-lit?

WEEK-END. C'est un mot anglais. Un week-end est un congé de fin de semaine: du samedi au lundi. Où aimes-tu partir en week-end?

X

XYLOPHONE. C'est un instrument de musique. Tu frappes des lames de bois ou de métal avec deux petits maillets... Et le xylophone chante juste... si tu connais la musique!

Y

YAOURT. Le yaourt et le yogourt, c'est la même chose. Il est fabriqué avec du lait caillé. Le lait se caille, se coagule quand tu le laisses reposer plusieurs jours.

YEUX. Tu as deux yeux, le chat aussi. La pomme de terre a des yeux. Le pain et le fromage aussi. Les bourgeons sont les yeux des branches d'un arbre. Même le bouillon de poule a des yeux!

Z

ZEBRE. C'est un mammifère. Un zèbre ressemble à un cheval. Sa robe est jaune et rayée. Les lignes sont noires ou brunes. Le zèbre vit en Afrique. Filer comme un zèbre, c'est courir vite.

ZERO. C'est un chiffre. Combien y a-t-il de zéros dans le nombre 1.000?

ZESTE. C'est la partie extérieure (la plus colorée!) de l'écorce d'un citron, d'une orange... Le zeste sert à parfumer le thé, l'apéritif, le gâteau, le canard... à l'orange!

ZIGZAG. Les deux Z de zigzag sont des zigzags. Le Z de Zorro aussi! Pendant l'orage, les éclairs font des zigzags dans le ciel.

ZOO. C'est un jardin zoologique. On y trouve des animaux sauvages. Les plus dangereux vivent dans des cages à barreaux comme le lion de l'image.

Les wagons d'un train sont tirés par une locomotive.

Le zèbre est un mammifère qui ressemble au cheval.

Ce lion est dans une cage au zoo.